À tous les membres de la famille,

L'apprentissage de la lecture est l'une des réalisations les plus importantes de la petite enfance. La collection *Je peux lire!* est conçue pour aider les enfants à devenir des lecteurs experts qui aiment lire. Les jeunes lecteurs apprennent à lire en se souvenant de mots utilisés fréquemment comme « le », « est » et « et », en utilisant les techniques phoniques pour décoder de nouveaux mots et en interprétant les indices des illustrations et du texte. Ces livres offrent des histoires que les enfants aiment et la structure dont ils ont besoin pour lire couramment et sans aide. Voici des suggestions pour aider votre enfant avant, pendant et après la lecture.

Avant

Examinez la couverture et les illustrations, et demandez à votre enfant de prédire de quoi on parle dans le livre.

Lisez l'histoire à votre enfant.

Encouragez votre enfant à dire avec vous les formulations et les mots qui lui sont familiers.

Lisez une ligne et demandez à votre enfant de la relire après vous.

Pendant

Demandez à votre enfant de penser à un mot qu'il ne reconnaît pas tout de suite. Donnez-lui des indices comme : « On va voir si on connaît les sons » et « Est-ce qu'on a déjà lu un mot comme celui-là? ».

Encouragez l'enfant à utiliser ses compétences phoniques pour prononcer d'autres mots.

Lorsque l'enfant a besoin d'aide, lisez-lui le mot qui pose un problème, pour qu'il n'ait pas trop de mal à lire et que l'expérience de la lecture avec les parents soit positive.

Encouragez votre enfant à lire avec expression... comme un comédien!

Après

Proposez à votre enfant de dresser une liste de mots qu'il préfère.

Encouragez votre enfant à relire ses livres. Il peut les lire à ses frères et sœurs, à ses grands-parents et même à ses toutous. Les lectures répétées donnent confiance au jeune lecteur.

Parlez des histoires que vous avez lues. Posez des questions et répondez à celles de votre enfant. Partagez vos idées au sujet des personnages et des événements les plus amusants et les plus intéressants.

J'espère que vous et votre enfant allez aimer ce livre.

Francie Alexander,
spécialiste en lecture
Groupe des publications
éducatives de Scholastic

Aux dauphins, affectueusement.
—F.M.

À la mémoire de mon père.
—L.S.

Tous nos remerciements à Laurie Roulston,
du Denver Museum of Natural History,
pour les renseignements précieux
qu'elle nous a fournis.

Données de catalogage avant publication de la
Bibliothèque nationale du Canada

McNulty, Faith
        Jouons avec les dauphins

(Je peux lire!. Niveau 4. Sciences)
Traduction de : Playing with dolphins.
Pour enfants de 7 à 9 ans.
ISBN 0-439-98691-5

I. Shiffman, Lena II. Gladu, France, 1957- III. Titre.
IV. Collection.

PZ23.M346Jo 2001   j813'.54   C2001-900963-1

Édition publiée par Les éditions Scholastic, 175 Hillmount Road, Markham (Ontario) L6C 1Z7.

5 4 3   Imprimé au Canada   02 03 04 05

Jouons avec les dauphins

Faith McNulty

Illustrations de Lena Shiffman

Texte français de France Gladu

Je peux lire! — Sciences — Niveau 4

Les éditions Scholastic

Je vais vous raconter une
journée que je n'oublierai jamais :
celle où j'ai nagé avec des dauphins
et assisté à la naissance d'un petit.

Ma sœur aînée, Léa, travaillait dans
un aquarium, en Floride.
On y gardait des dauphins pour permettre
aux scientifiques de les étudier.
Un jour, Léa m'invite à lui rendre visite
et à faire connaissance avec les dauphins.

— Apporte ton masque et tes palmes, me
dit-elle. Nous allons nager avec les
dauphins.

Léa m'accueille à l'aéroport et me conduit
en voiture tout près de la baie.
Nous nous assoyons sur un quai au bord de l'eau
Léa m'indique une rangée de bouées
qui marquent l'emplacement d'une clôture
sous-marine.
Elle m'explique que cette clôture empêche
les dauphins de s'éloigner vers le large.

D'une main, elle fait gicler l'eau.
— C'est une façon de les appeler, dit-elle.
Soudain, une longue forme grise, vive comme
l'éclair, apparaît près de nous.

Léa sourit au dauphin.

— Bonjour Émilie, dit-elle. Comment vas-tu?
Je suis très contente de te voir!

Dans l'eau, le dauphin fait une petite
révérence et nous regarde de ses yeux
sombres et brillants.
Sa bouche recourbée s'ouvre et j'entends
un étrange craquement, semblable à celui
d'une charnière rouillée.
Il a l'air de dire « Je vais bien, merci.
Et toi? ».

— Émilie est ma préférée, me confie Léa.
Elle attend un bébé. Il devrait naître d'un
jour à l'autre.

Léa se penche et caresse la tête ronde
d'Émilie.
— Les dauphins aiment qu'on les caresse
et qu'on leur parle, dit-elle.

Elle plonge la main dans un seau et
en retire un petit poisson.
Presque dressée à la verticale, Émilie ouvre
la bouche et prend le poisson d'entre
les doigts de Léa.

Je me demande si Émilie pourrait blesser quelqu'un avec ses dents.

Léa me tend un poisson. J'hésite, mais elle me rassure :
— Ne t'inquiète pas, elle est très habile.

J'allonge le bras en tenant le poisson par la queue.
Émilie se dresse et le prend délicatement, sans même me toucher les doigts.

— Tu peux lui caresser la tête, dit Léa, mais attention à son évent.

Sur le dessus de la tête d'Émilie, je vois un trou qui s'ouvre et se referme sans cesse au gré de ses mouvements.
— L'évent lui permet de respirer, explique Léa. Tu n'aimerais pas qu'on mette une main sur ton nez.

J'ai un peu peur, mais je m'approche
et caresse timidement la tête d'Émilie.
Sa peau est douce comme le satin.
Je n'avais jamais vu de vrai dauphin avant
aujourd'hui, et me voilà maintenant en
train d'en caresser un! C'est formidable!
Je suis loin de me douter que l'un d'eux
va bientôt me sauver la vie…

Léa reprend le seau.
— Ça suffit pour l'instant. J'ai du travail
à faire. Au revoir Émilie, dit-elle avant
de s'éloigner.
Émilie plonge et disparaît.

Les tâches matinales de Léa commencent
par la préparation d'un repas composé de
poissons et de vitamines pour chacun
des sept dauphins de l'aquarium.
Nous bavardons pendant qu'elle
travaille.

Léa m'explique que les dauphins sont les descendants d'animaux terrestres qui ont gagné la mer il y a des millions d'années. Petit à petit, leur forme a évolué afin de s'adapter à leur nouveau mode de vie.

Mais les dauphins ont encore beaucoup en commun avec les animaux terrestres. Tout comme eux, ils respirent de l'air, ils ont le sang chaud et ils allaitent leurs petits.

On les trouve partout où la mer est chaude et où les poissons abondent.

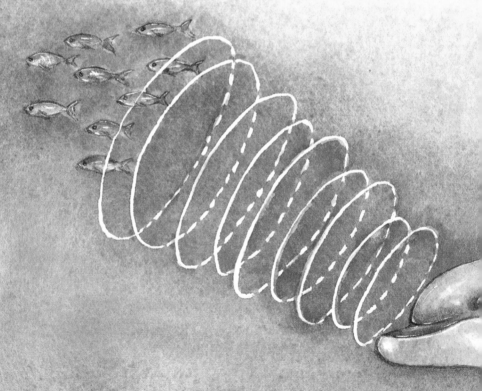

Avant de commencer l'étude de dauphins apprivoisés comme Émilie, on en savait très peu sur eux.
Nous avons appris des choses étonnantes.

À la lumière du jour, les dauphins voient aussi grâce à leurs yeux, mais ils possèdent un moyen très particulier de « voir » sous l'eau, dans l'obscurité.
Les dauphins produisent des cliquetis dont les ondes sonores circulent sous l'eau.
Si les ondes sonores heurtent un obstacle solide, le son rebondit comme l'écho.
L'écho indique au dauphin ce qui se trouve devant lui.
On appelle « écholocation » cette façon de « voir dans l'obscurité ».

Comme les humains et de nombreux
animaux terrestres, les dauphins vivent
en groupes.
Les membres d'un groupe dépendent les
uns des autres.
Si l'un d'eux est blessé ou en danger,
les autres essaient de lui venir en aide.
Par exemple, ils pousseront vers la surface
de l'eau un dauphin qui se noie, pour lui
permettre de respirer.

Les dauphins « parlent » par sifflements.
(Évidemment, on ne sait ce qu'ils disent.)

Les mères et leurs petits sont
particulièrement proches.
Ils se touchent et se caressent souvent.
Les jeunes dauphins aiment jouer et
se pourchasser.
Séparé du groupe, le dauphin est effrayé
et malheureux.

— C'est sans doute à cause de leur besoin
de vivre en groupes que nous pouvons
apprivoiser les dauphins, dit Léa. Comme
ils font naturellement confiance aux autres,
ils se laissent apprivoiser par les humains
qui prennent soin d'eux.

Léa termine ses tâches.

— À présent, dit-elle, il est temps d'examiner Émilie pour voir si le bébé naîtra bientôt. Le petit dauphin reste longtemps dans le ventre de sa mère.

Léa m'explique qu'Émilie s'est accouplée avec un mâle du groupe il y a presque un an.

Nous pouvons reconnaître les signes d'une naissance prochaine.

L'un de ces signes est un changement de comportement : Émilie se tient à l'écart du groupe, près de son amie Annie.

Lorsque la femelle dauphin met bas, il arrive souvent qu'une autre femelle lui tienne compagnie pour l'aider au besoin. Annie restera auprès d'Émilie et sera en quelque sorte la tante du petit.

Debout au bord du bassin des dauphins,
Léa donne un coup de sifflet.

— On apprend aux dauphins qu'un coup
de sifflet annonce le repas, dit-elle.

Peu de temps après, une nageoire sombre
fend l'eau et Émilie arrive au quai.

Elle regarde Léa prendre un poisson dans
le seau.

Émilie semble danser sur l'eau. On dirait
un chien qui fait le beau.

Léa lui donne le poisson, puis se glisse
dans le bassin à côté d'elle.

— Viens nous rejoindre, me lance Léa.
Tu n'as rien à craindre. Mais rappelle-toi
que les dauphins sont gros et forts. Tu ne
peux pas jouer avec eux comme s'ils
étaient de petits chiens.

Mon masque bien en place, j'entre dans
l'eau froide et salée.

Je me laisse couler et ouvre les yeux.
Émilie est là. Elle nage à mes côtés.
Elle me paraît gigantesque.
Elle glisse sous l'eau et me tourne autour,
comme pour m'examiner.

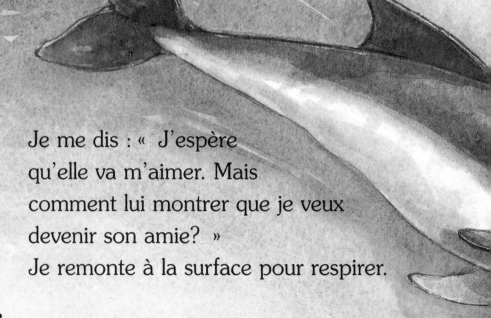

Je me dis : « J'espère
qu'elle va m'aimer. Mais
comment lui montrer que je veux
devenir son amie? »
Je remonte à la surface pour respirer.

Tout à coup, quelque chose de dur et
de glissant me frôle la jambe. Je veux crier.
Émilie passe près de moi à toute allure
en faisant tourbillonner l'eau.

— N'aie pas peur, me lance Léa. Elle cherche
seulement à faire connaissance.
Léa frappe la surface de l'eau et Émilie
la rejoint.
Léa pose la main à plat sur l'eau.
Émilie nage lentement sous la surface et
se frotte le dos contre la paume de Léa.

— Étends la main, me dit Léa. Cela signifie que tu veux lui flatter le dos.

J'étends la main et Émilie vient s'y frotter.
Pendant qu'elle glisse sous ma paume, je sens la puissance de son corps dur et lisse.

— Il y a aussi un jeu qu'elle aime beaucoup : celui des imitations, m'explique Léa.

Elle se tourne sur le côté et lève un bras.
Émilie l'imite aussitôt et soulève une nageoire.

— À ton tour, dit Léa. Fais quelque chose qu'elle peut imiter.

Je commence à tourner comme une toupie.

Quelques instants plus tard, Émilie, la tête
hors de l'eau, copie le mouvement.

Puis Léa se met à sauter sur place.
Émilie fait de même.
Léa s'esclaffe et Émilie semble
rire avec elle.

— Tu aimerais faire une petite promenade?
me demande Léa. Mets-toi sur le dos.
Je me couche sur l'eau, et fixe le ciel bleu.
Je sens la présence d'Émilie à mes côtés.
— À présent, tiens sa
nageoire et accroche-toi
bien, ajoute-t-elle.

Je saisis la nageoire d'Émilie, et la voilà qui s'élance comme un cheval de course. Je décolle, tête devant. Tout étourdie par le tourbillon que nous formons, je ne vois plus que le ciel... et un éclaboussement d'écume. J'ai l'impression d'être un jouet, entièrement en son pouvoir.

Soudain, elle s'arrête et je lâche prise.
— Tu as aimé ta promenade? interroge Léa.
Très excitée, je lui réponds :
— C'était vraiment super!

— C'est le moment d'examiner Émilie, dit Léa. Elle me demande de retourner au quai pour chercher du poisson, pendant qu'elle conduit Émilie en eau peu profonde.

Léa veut mesurer le ventre d'Émilie pour voir s'il a grossi.

Mais Émilie ne se prête pas volontiers à cet exercice.

Elle s'agite et se tortille.

Lorsque Léa essaie de passer le ruban à mesurer autour d'elle, Émilie se laisse glisser.

Léa poursuit ses tentatives, mais je sens qu'elle s'impatiente.

Finalement, elle se redresse.
— Tant pis Émilie, je m'en vais, dit-elle.

Léa remonte sur le quai et se tient
debout, le corps raide et le dos tourné.

Dans l'eau, Émilie monte et descend,
exécutant sa petite danse.
Elle produit des sons comme si elle
cherchait à rappeler Léa.

— Elle sait que je suis fâchée contre elle,
m'explique Léa. En général, lorsqu'on
menace de partir, les dauphins deviennent
plus sages.

Quelques minutes plus tard, Léa se tourne
et revient dans l'eau avec Émilie.
Cette fois, elle est bien tranquille.

— Fais voir ton ventre, maintenant, dit Léa.
Au mot « ventre », Émilie roule sur le dos.
Léa sourit en l'examinant.
— Formidable! s'exclame-t-elle. Je crois
qu'elle produit du lait!

— Il se pourrait que son petit naisse ce soir,
dit Léa en sortant du bassin. Mais j'aimerais
mieux qu'il naisse demain. Au moins,
je serais là en cas de difficultés.

Je lui demande :
— De quelles difficultés parles-tu?
— En général, tout se passe bien, me
rassure Léa. Les dauphins mettent bas sans
grande difficulté. Mais le petit a parfois
besoin d'aide. Il risque de se noyer s'il
n'arrive pas rapidement à la surface.

Tôt le lendemain matin, nous nous rendons au bassin.

Léa appelle Émilie pour le déjeuner, mais elle ne vient pas.

Pendant que nous scrutons l'eau, deux dauphins font surface à l'autre extrémité du bassin.

— Ce sont probablement Émilie et Annie, dit Léa. Allons voir.

Nous nageons vers l'endroit où nous avons aperçu les dauphins, mais ils n'y sont plus.

Nous les cherchons sous l'eau jusqu'à ce que nous soyons à bout de souffle.

Peine perdue.

Léa constate alors que plusieurs sacs en plastique se trouvent pris dans le filet de la clôture.

— Ces sacs sont mortels pour les dauphins, dit-elle. Ils peuvent les avaler par accident.

Je l'aide à enlever les sacs et à les rouler en boule pour les emporter au quai.

Léa repart au quai, mais au lieu de la suivre,
je nage le long de la clôture.

J'adore observer le paysage de sable blanc
et l'eau bleu turquoise à travers mon masque.

Tout à coup, j'aperçois deux dauphins qui
nagent près de la surface.

Émilie et Annie!

Je reconnais Émilie à sa couleur foncée.

Son comportement est étrange; elle se
tortille et se tourne dans l'eau.

Elle cambre le dos, puis se penche comme
une personne qui essaie de toucher
ses orteils.

Annie se tient tout près.
De temps à autre, elle touche Émilie
de son nez ou la caresse d'une nageoire.

Je les regarde former de grands cercles
en nageant.
Elles ne semblent pas remarquer ma
présence.
Soudain, j'aperçois une forme sombre
qui émerge sous le ventre d'Émilie.
Son petit va bientôt naître!
En quelques secondes, le bébé dauphin
est libre.
Émilie le pousse doucement vers la surface
avec l'aide d'Annie, toujours à ses côtés.

Je sors la tête de l'eau pour appeler Léa.
Elle se trouve près du quai, et nage
lentement vers moi.
Je lui crie de se dépêcher.
Comme elle ne semble pas entendre, je
crie à nouveau.

En nageant sur place, j'agite la main en
direction de Léa et inspire profondément
pour lui lancer un nouvel appel.
Mais j'inspire sous la surface!
Je m'étouffe, et je suffoque!
La panique s'empare de moi… je manque
d'air.
Je n'arrive plus à nager, et je me débats
dans l'eau.
Je coule…
C'est alors qu'un dauphin vient à ma
rescousse!
Je sens son corps puissant se glisser sous
le mien et me pousser vers la surface.
J'ai la tête hors de l'eau!
Je respire enfin!

Trop épuisée pour nager, je reste sur le dos
du dauphin et m'agrippe à sa nageoire.

Léa arrive.

Elle me ramène au quai, à la nage.

Puis elle m'aide à m'asseoir, et s'installe
près de moi. Comme je grelotte, elle
m'assèche avec une serviette.

Pendant un moment, nous sommes trop
essoufflées pour parler.

Soudain, Léa s'écrie :

— Hé, regarde! Il est là!

Je me redresse.

Léa me montre Émilie et Annie : elles nagent autour du quai, un tout petit dauphin à leurs côtés.

— Il est né! s'écrie Léa. C'est merveilleux!

— Je sais. J'ai tout vu!

Je lui explique alors que j'ai failli me noyer et qu'un dauphin m'a ramenée à la surface de l'eau.

— C'était sûrement Annie, dit Léa. Comme la mère et le petit n'avaient pas besoin de ses services, elle est allée à ton secours.

Je ressens subitement une telle joie d'être vivante que je serre Léa dans mes bras. Je voudrais aussi pouvoir serrer Annie, mais c'est impossible. Alors je pense bien fort : « Merci, Annie, de m'avoir sauvé la vie. »